Franklin

i prezent świąteczny

Dla Hannah i Charlotte Cowan,

dwóch wspaniałych dziewczynek – P.B.

Moim rodzicom, za ciepłe bożonarodzeniowe wspomnienia – B.C.

Franklin jest znakiem zastrzeżonym Kids Can Press Ltd.

Tekst © 1998 Contextx Inc.
Ilustracje © 1998 Brenda Clark Illustrator Inc.

Ilustracje w książce przygotowano z pomocą Shelley Southern.

Copyright © Wydawnictwo >DEBIT<

43-300 Bielsko-Biała, ul. Poniatowskiego 6
e-mail: wyddebit@bb.onet.pl
www.wydawnictwo-debit.pl

ISBN 83-7167-235-7

Franklin
i prezent świąteczny

Tekst Paulette Bourgeois
Ilustracje Brenda Clark
Tłumaczenie Patrycja Zarawska

WYDAWNICTWO
WD
DEBIT

FRANKLIN uwielbiał Boże Narodzenie. Umiał wiązać wstążki w ozdobne kokardy i zagrać na flecie kilka kolęd. Przed świętami razem z rodzicami ubierał choinkę, a potem wyjmował z pudełka figurkę Świętego Mikołaja i drewniane renifery, które zaprzęgał do malutkich czerwonych sań.

Mały żółw bardzo też lubił dawać i dostawać prezenty. Jednak w tym roku nie potrafił zdecydować, co ofiaruje jako prezent dla biednych dzieci.

Co roku uczniowie oddawali zabawki dla dzieci z biednych rodzin. Mogły to być nowe zabawki albo używane, ale niezniszczone.

Kiedy pani sowa w tym roku ogłosiła zbiórkę i wystawiła w klasie wielkie pudło na prezenty, wszyscy poczuli, że to coś bardzo ważnego. Mieli trzy dni na wybranie odpowiednich rzeczy, a wybór musiał być mądry.

Wieczorem Franklin zajrzał do swojego kufra z zabawkami. Brał do rąk to i owo, aż wyjął wszystko, nawet te zabawki, o których już prawie zapomniał.

– Dawno się tobą nie bawiłem – powiedział na widok lśniącego czerwonego auta. – Brum, brum!

– O, tu jesteś, nie miałem pojęcia, gdzie się podziałeś – rozczulił się, przytulając starego szmacianego słonika.

Potem Franklin znalazł swoją ulubioną zieloną kulkę.

– Świetnie! – ucieszył się, bo szukał jej od tygodni.

Mały żółw bardzo lubił swoje kulki, ponieważ uwielbiał grać w nie z kolegami. Każdą swoją kulkę uczciwie wygrał, w dodatku każda była piękna i na swój sposób niezwykła.

Franklin przejrzał pozostałe zabawki. Wpadły mu jeszcze w ręce zaginiony samolocik, zgubiony kawałek układanki i gwizdek. Po namyśle postanowił zatrzymać wszystkie swoje skarby, a oddać zardzewiałą ciężarówkę, której brakowało jednego koła.

Mały żółw poprosił tatę, żeby pomógł mu naprawić autko.

– Możemy spróbować – zgodził się tato. – Ale na pewno nie będzie już wyglądało jak nowe ani nawet mało zużyte.

– Nie mam nic innego, co by się nadawało – tłumaczył Franklin. – Wszystkie zabawki są dla mnie bardzo, ale to bardzo ważne.

– Powinieneś to lepiej przemyśleć – rzekł tato. – Boże Narodzenie to czas dobroci, szczerych uczuć i hojnych darów.

Następnego dnia w szkole Franklin zapytał kolegów, co zamierzają dać innym dzieciom pod choinkę.

Bóbr przyniósł swoją wielką księgę tysiąca pytań.

– Już znam wszystkie odpowiedzi – chwalił się.

– A ja daję puzzle – powiedział miś. – Tylko raz je ułożyłem.

– Ja przyniosę ciężarówkę… chyba – urwał niepewnie żółw.

Miał jeszcze dwa dni na zastanowienie.

Niestety, Franklin był zbyt zajęty, aby spokojnie pomyśleć o zbiórce zabawek. Zaraz po szkole ćwiczył na flecie kolędy, które mieli grać na szkolnym koncercie. Potem, już w domu, kończył malować i kleić kartkę świąteczną na zajęcia z plastyki, a wieczorem długo pisał wzruszające bożonarodzeniowe opowiadanie – to było zadanie domowe na jutro.

„Zabawkę wybiorę jutro po południu" – obiecał sobie w duchu.

Nazajutrz, gdy wrócił ze szkoły, od razu zobaczył leżące pod choinką duże pudełko w kolorowym papierze. To był prezent świąteczny dla niego od starszej cioci Harriet. Żółwik był tak podniecony, że zapomniał o wszystkim, nawet o otrzepaniu butów ze śniegu, nie mówiąc już o zabawce dla biednych dzieci.

Franklin ostrożnie naciskał pudełko i potrząsał nim, próbując domyślić się, co ciocia w nim schowała.

– Nie zaglądaj do środka! – upomniała go mama.

– A ty wiesz, co tam jest? – zapytał mały żółwik z wypiekami na twarzy.

– Nie, ale możesz być pewny, że to coś specjalnego – uśmiechnęła się mama. – Nasza ciocia Harriet zawsze daje prezenty, które mają i dla ciebie, i dla niej ogromne znaczenie, prawda?

– Tak – przypomniał sobie Franklin. – Tak jak w zeszłym roku.

Starsza ciocia Harriet wiedziała, że Franklin uwielbia przedstawienia. Rok temu na Boże Narodzenie podarowała mu dwie przepiękne pacynki, którymi sama bawiła się, kiedy była małą dziewczynką. To jeden z najwspanialszych prezentów, jakie Franklin dostał w życiu.

Następnego ranka w szkole mały żółw zauważył, że pudło na zabawki dla biednych dzieci pęka w szwach od prezentów.

– Wszyscy jesteście bardzo hojni – pochwaliła swych uczniów pani sowa. – Czy wiecie, że zabawka od was może być jedynym prezentem, jakie dziecko z biednej rodziny dostanie w te święta?

Franklin poczuł, że coś ściska mu gardło.

Franklin po szkole od razu pobiegł do domu. Jeszcze raz przejrzał swoje zabawki. Rozstałby się może ze szmacianym słonikiem, ale przytulanka była mocno sfatygowana i na pewno nie sprawiała wrażenia nowej. A czerwone auto wyglądało świetnie, tylko że nie jeździło już tak szybko jak dawniej.

Żółwik zmartwił się i poczuł się nieswojo. Na początku wszystkie zabawki wydawały się zbyt cenne, aby je oddać, a teraz okazało się, że niezupełnie nadają się na prezent.

Mały żółw pobawił się chwilę pacynkami od cioci Harriet. Rozmyślał przy tym o prezentach, które od niej dostawał. Wszystkie były wspaniałe. W jaki sposób ciocia wybierała te rzeczy?

– Najlepsze prezenty to te, które mają specjalne znaczenie i dla tego, kto je daje, i dla tego, kto je dostaje – szepnął.

Wtem wzrok Franklina padł na jego kolorowe kulki. Tak, kulki to jest właśnie to. Nadają się na prezent, są dla niego ważne i pewnie będą ważne dla dziecka, które znajdzie je pod choinką.

Franklin wyczyścił i wypolerował gałgankiem wszystkie swoje kulki i włożył je do miękkiego woreczka. Potem zawinął prezent w ozdobny papier i dołączył do niego karteczkę, na której napisał:

Te kulki przynoszą szczęście.
Wesołych świąt!

Nazajutrz rano Franklin dołożył swój prezent do innych
w wielkim pudle. Później razem z kolegami umocowali pudło
na sankach i powieźli je do ratusza. W sali zgromadzeń stała
ogromna, pięknie przystrojona choinka. Uczniowie ułożyli
prezenty pod choinką i rozeszli się do domów, życząc sobie
wesołych świąt.

Mały żółw wiedział, że będzie mu brakowało jego kulek,
nie był jednak z tego powodu smutny – ani troszeczkę.
Przeciwnie: nareszcie czuł się wspaniale.

W wigilijny wieczór starsza ciocia Harriet
przyjechała do domu Franklina. Po kolacji
przyszedł czas na rozpakowanie prezentów.
Franklin pośpiesznie zerwał papier z pudełka.
– Ojej! To wspaniałe! Dziękuję! – zawołał.
Ciocia rozpromieniła się. Składaną scenę
teatrzyku kukiełkowego zrobiła sama
specjalnie dla Franklina.
– Teraz ty otwórz swój prezent,
ciociu – nalegał żółwik.

Ciocia Harriet powoli, z namaszczeniem
rozwijała swój prezent z kolorowego papieru.
A w środku znalazła sztukę teatralną,
którą Franklin napisał specjalnie dla niej,
kochanej, przemiłej cioci!

– To chyba najlepszy prezent świąteczny,
jaki dostałam w życiu – powiedziała
poważnie ciocia.

Franklin znów poczuł się tak cudownie,
jak wtedy, gdy kładł pod choinką
w ratuszu prezent dla nieznajomego
dziecka. Był niezmiernie szczęśliwy!